Dirección editorial:
Departamento de Literatura
Infantil y Juvenil

Dirección de arte:
Departamento de Imagen y Diseño GELV

Diseño de la colección:
Manuel Estrada

El 0,7% de la venta de este libro se destina al Proyecto «Mejora de la Calidad y oferta educativa del ciclo diversificado del Instituto Tecnológico Quiché de Chichicastenango (Guatemala)», que gestiona la ONG Solidaridad, Educación, Desarrollo (SED).

2ª edición, 16ª impresión, marzo 2010

Carretera de Madrid, km. 315,700
50012 Zaragoza
Teléfono: 913 344 883
www.edelvives.es

ISBN: 978-84-263-5188-3
Depósito legal: Z. 480-10

Talleres Gráficos Edelvives (50012 Zaragoza)
Certificados ISO 9001
Printed in Spain

FICHA PARA BIBLIOTECAS

ROMERO YEBRA, Ana Mª (1945-)
Hormiguita negra / Ana Mª Romero Yebra ; ilustraciones, Arcadio Lobato. – 2ª ed., 16ª reimp. – Zaragoza : Edelvives, 2010
39 p. : il. col. ; 20 cm. – (Ala Delta. Serie roja ; 29)
ISBN 978-84-263-5188-3
1. Poesías infantiles. I. Lobato, Arcadio, il. II. Título. III. Serie.
087.5:821.134.2-1"19"

EDELVIVES

ALA DELTA 

Hormiguita negra

Ana Mª Romero Yebra

Ilustraciones
Arcadio Lobato

HORMIGUITA NEGRA

–Hormiguita negra
igual que el carbón.
¿Te has puesto morena
de tomar el sol?

–Pues no, preguntona,
te has equivocado,
que me he puesto negra
de trabajar tanto.

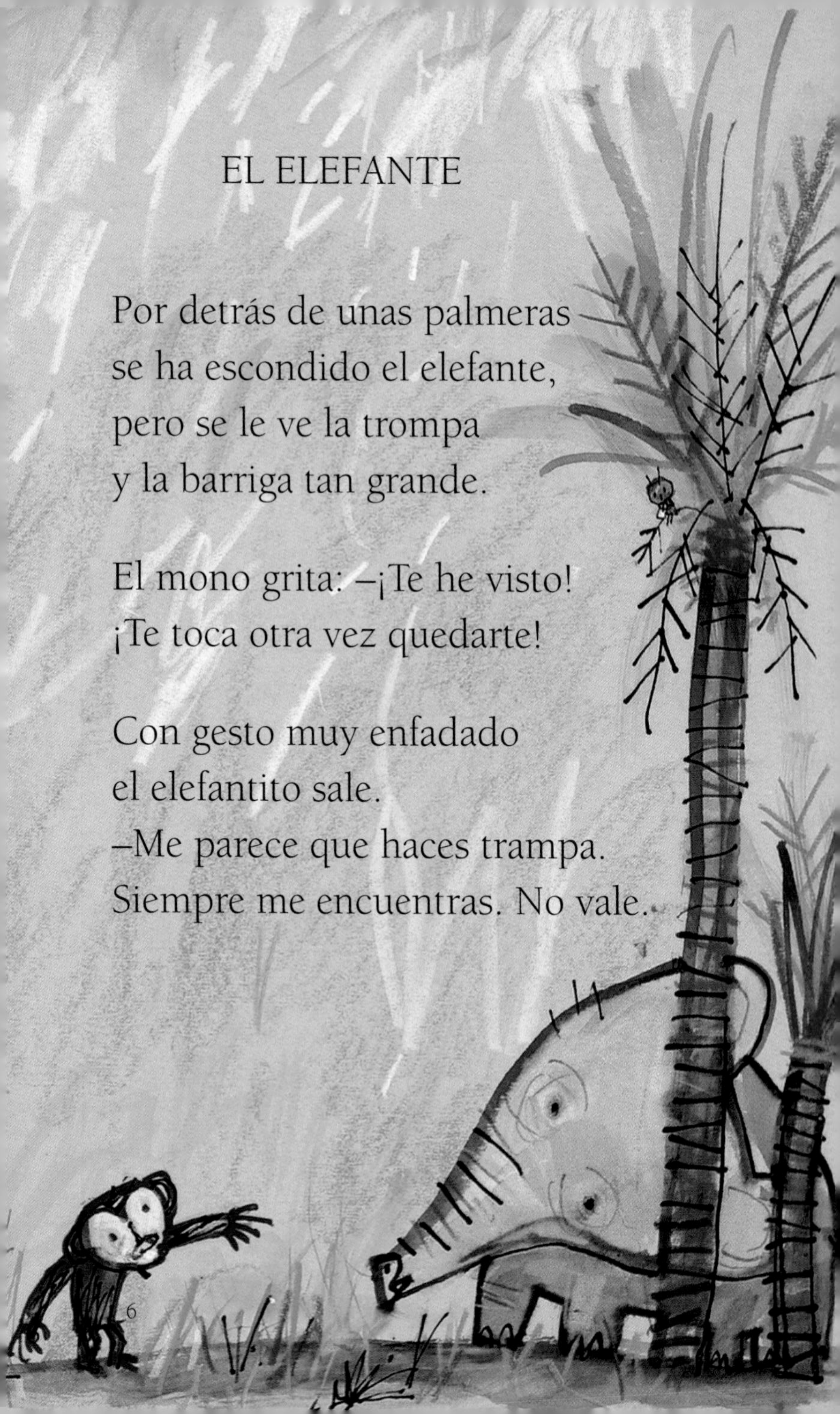

EL ELEFANTE

Por detrás de unas palmeras
se ha escondido el elefante,
pero se le ve la trompa
y la barriga tan grande.

El mono grita: –¡Te he visto!
¡Te toca otra vez quedarte!

Con gesto muy enfadado
el elefantito sale.
–Me parece que haces trampa.
Siempre me encuentras. No vale.

LA JIRAFA

Hoy me ha dicho la jirafa:
–Cuando acabes de estudiar,
jugaremos en el parque.
Y yo haré de tobogán.

LA LAGARTIJA

La lagartija,
broche esmeralda
de la pared,
se queda quieta
bajo el sol tibio.
¡Qué lista es!

EL GORRIÓN

En la terraza de casa
está parado el gorrión
calentándose las alas
con un rayito de sol.

Picotea entre los geranios
como queriendo comer.
¡Ay, si le hubiera guardado
las miguitas del mantel!

DON BÚHO

Don Búho lleva levita
de color gris,
una corbata blanca
y un peluquín.

Don Búho tiene cabeza
de pensador,
y grandes ojos fijos
color de sol.

Ha alquilado una piedra
junto al molino,
pasa mañana y tarde
medio dormido.

Pero cuando oscurece
ya se desvela
y se pasa la noche
contando estrellas.

23-520

EL PEZ

En mi pecera
yo tengo un pez.
Es de colores.
¡Qué lindo es!

Todos los días
de cada mes
quiere bichitos
para comer.

En cambio, nunca
se bebe el agua.
No tiene sed…

EL GATO PEPE

Un gato grande
tiene mi abuela.
Solo lo veo
si no hay escuela.

Se llama Pepe,
caza ratones
y siempre araña
los almohadones.

Duerme en verano
bajo la encina
y en el invierno
por la cocina.

Sobre la silla
o en la ventana
se acuesta donde
le da la gana.

Sube a la mesa,
salta al camino,
corre hasta el pozo
y escala un pino.

Algunas veces
se va al granero.
Todo el cortijo
recorre entero.

Trepa a la higuera
y a los tejados
y me lo encuentro
por todos lados.

¡Vaya verano
más divertido
si el gato Pepe
juega conmigo!

A ver si acaba
pronto la escuela
y nos marchamos
ya con la abuela.

EL CARACOL

El caracol que vive
junto al manzano
nunca saca los cuernos
en el verano.

Le gustan las mañanas
grises de niebla
y las noches oscuras
pobres de estrellas.

Y sale de paseo
cuando la nieve
tapa con algodones
el campo verde.

Pero si el sol calienta
–cómo se irrita–,
se esconde en la penumbra
de su casita.

EL SALTAMONTES

Pequeño, verde y brillante
se confunde con la hierba.
Dos finas agujas de oro
me parecen sus antenas.

Sus bellas alas ocultas
se han quedado polvorientas
y tiene muy fatigadas
sus dos patitas de sierra.

Ha andado un largo camino
a través de muchas tierras
y ante el Rey de los Insectos
va a elevar una protesta:

–Quiero cambiarme de nombre
y llamarme saltapiedras.
¿Cómo voy a saltar montes
con el trabajo que cuesta?

TARDE DE LLUVIA

La lluvia suavemente cae en invierno.
Riega los campos de trigo,
chopos y almendros
y no salgo de casa...
¡Qué aburrimiento!

Plim, plim, plim, plim, plim,
se oye en el cristal.
Yo digo: –¿Quién es?
–La lluvia será.
–Pues a ver si paras.
¡Quiero ir a jugar!

SIESTA

Solo el silencio
dentro del patio.
Quema la tarde.
Callan los pájaros.

Un gato negro
y un gato blanco
bajo la acacia
duermen tumbados.

Y el sol que juega
cerca del árbol
borda la sombra
de los dos gatos.

FIESTA

Ha estallado un cohete
como si se rompiera
encima de nosotros
un gran collar de estrellas.

Ha estallado un cohete
igual que si bajaran
bombillas de colores
y burbujas doradas.

Ha estallado un cohete.
Luces de caramelo
–fresa, limón y menta–
en la feria del cielo.

EN EL ZOO

–Señor portero,
¿dónde están los leones?
¡Ah, ya los veo!

Y al elefante
levantando su trompa.
¡Mira que es grande!

¡Fíjate! ¡Un dromedario!
¿O es un camello?
¡Qué linda esa jirafa!
¡Menudo cuello!

Y allí las cebras…
Mamá, yo no sabía
que comen hierba.

¿Te dan miedo los osos?
¡Qué cara pones!
¿Y por qué unos son blancos
y otros marrones?

Vamos a los pingüinos
y a las panteras.
¡Cómo me gusta todo
lo que me enseñas!

Los monos, las palomas
y los patitos
yo me los llevaría.
¡Son tan bonitos!

Señor portero,
¿puedo dar otra vuelta
sin más dinero?

EN EL PUERTO

He encontrado en el puerto
tres pescadores
jugando con los peces
a los colores.

Boquerones de plata,
besugos de oro
y almejas y coquinas
color de plomo.

Barquitas encarnadas,
aguas azules
y las gaviotas blancas
como las nubes.

He encontrado en el puerto
tres caracolas
y algas verdes flotando
sobre las olas.

VOY A SER PASTOR

Voy a ser pastor, madre,
porque yo quiero
jugar al escondite
con los corderos.

Ver el sol cuando asoma
rasgando nubes
y andar entre las flores
blancas y azules.

Recorrer los caminos
y las veredas;
tumbarme junto al perro
sobre la hierba.

Merendar junto al olmo
de la colina
escuchando el susurro
de las esquilas.

Llenarme la camisa
de olor a campo;
traerte un ramo grande
de lirios blancos.

Y volver hacia casa
cuando en el cielo
la luna y las estrellas
quiebren lo negro.

Voy a ser pastor, madre,
si tú me dejas,
para jugar al corro
con las ovejas.

LA LUNA BLANCA

–La luna blanca parece
una raja de melón.
–Pues cuando está redondita
es un queso; o un tambor.

Ríe la luna, bajito,
oyendo hablar a los dos.

–A mí me parece un plátano.
¡Quién lo pudiera comer,
pues mamá los compra solo
para mi hermano Javier!

La luna blanca se ríe
mucho más fuerte esta vez...

NUBE

Nube, ¡llévame contigo,
que quiero ser lluvia fresca
sobre los campos de trigo!

Nube, ¡llévame contigo!
¡Me gustaría ser agua
y poder llenar los ríos!

Nube, ¡llévame contigo,
que quiero estar en la fuente
y salpicar a los niños!

AGUA CLARA

Agua clara que nace
junto a la fuente
y que poquito a poco
se hace corriente.

Arroyuelo que baja
por la ladera
y perfuma y salpica
la hierbabuena.

Da de beber al hombre
y a su ganado
y cada vez más grande
se va acercando.

Riega bosques y huertos,
sotos y umbrías,
con ancha lengua fresca
que da la vida.

Y, por fin, hecho río,
llega hasta el mar.
Despacioso y cansado
de tanto andar.

PRIMAVERA

Es la primavera
una hermosa dama
con vestido verde
y olor a retama.

Le crecen las flores
por entre los dedos
y anidan alondras
bajo su sombrero.

Y su pelo rubio
es una cascada
de campos de trigo
y espigas doradas.

Es la primavera
una gran señora
que se hace collares
con las amapolas.

OTOÑO

Las hojas de los chopos se murmuran
secretos al oído
y el tronco les advierte cada tarde
que va a llegar el frío.

Las hojas de los chopos se columpian
cuando las mueve el viento
y las noches de otoño van pintando
de amarillo su cuerpo.

Las hojas de los chopos se desprenden
del calor de la rama
y ponen en el verde de la hierba
una alfombra dorada.

LA MARIQUITA

Mariquita, quita,
sobre los rosales
con su hermosa capa
llena de lunares.

Mariquita, quita,
pasa por las hojas
bien arropadita
con su capa roja.

–¿Me dejas cogerla?
Pequeña y bonita
la mano del niño
con la mariquita.